El cuerpo

Stephanie Turnbull
Diseño: Laura Parker y Michelle Lawrence
Ilustraciones: Adam Larkum

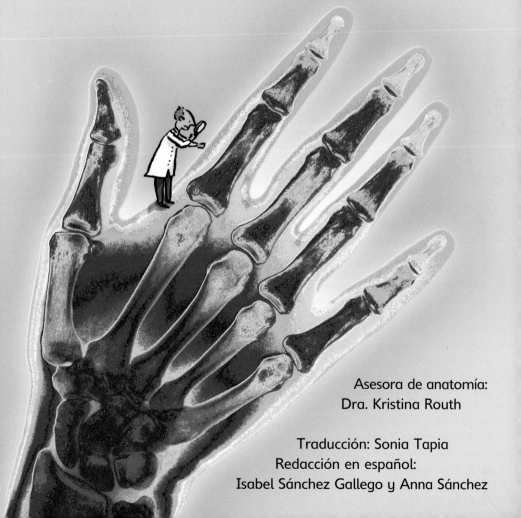

Asesora de anatomía:
Dra. Kristina Routh

Traducción: Sonia Tapia
Redacción en español:
Isabel Sánchez Gallego y Anna Sánchez

Sumario

3 Un cuerpo increíble

4 El esqueleto

6 Músculos fuertes

8 La respiración

10 Una potente bomba

12 La cabeza

14 Mensajeros

16 Los ojos y la vista

18 El oído

20 La boca

22 La digestión

24 ¡Agua va!

26 La capa externa

28 ¡Nos atacan!

30 Glosario del cuerpo

31 Páginas web

32 Índice

Hombre

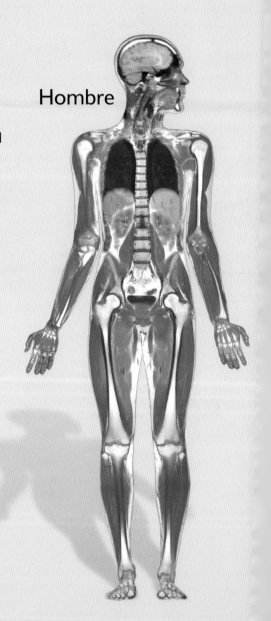

Un cuerpo increíble

Tu cuerpo es como una máquina muy compleja, siempre en funcionamiento.

Los escáneres muestran las distintas partes que componen el cuerpo.

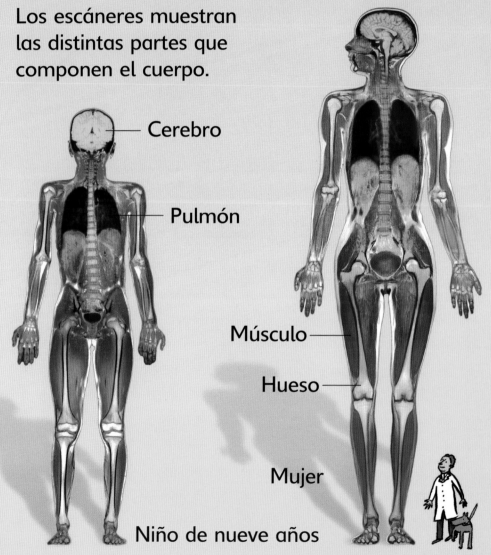

Cerebro

Pulmón

Músculo

Hueso

Mujer

Niño de nueve años

3

El esqueleto

El esqueleto es un armazón de huesos que da forma al cuerpo y protege las partes blandas.

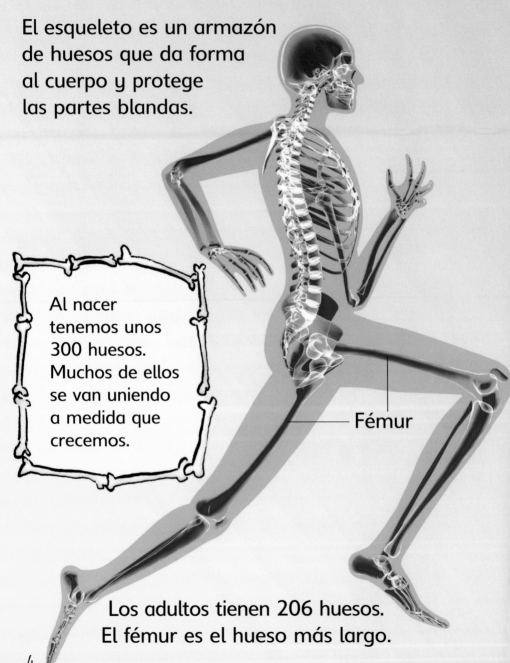

Al nacer tenemos unos 300 huesos. Muchos de ellos se van uniendo a medida que crecemos.

Fémur

Los adultos tienen 206 huesos.
El fémur es el hueso más largo.

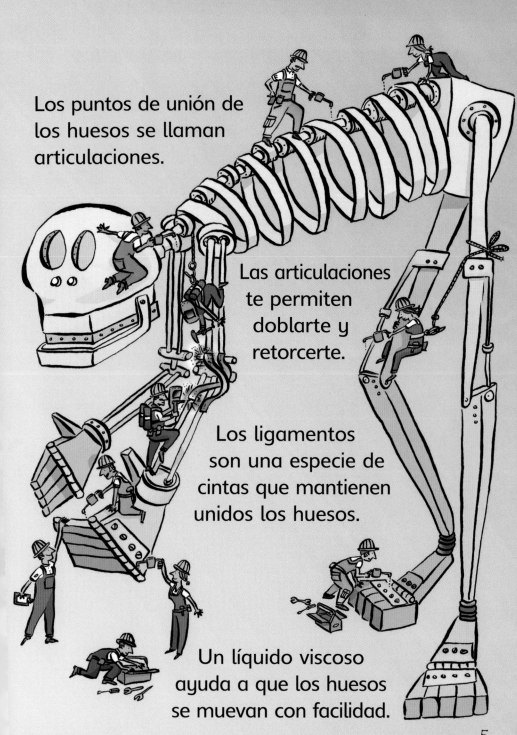

Los puntos de unión de los huesos se llaman articulaciones.

Las articulaciones te permiten doblarte y retorcerte.

Los ligamentos son una especie de cintas que mantienen unidos los huesos.

Un líquido viscoso ayuda a que los huesos se muevan con facilidad.

5

Músculos fuertes

Los músculos son flexibles, como de goma.
Suelen estar unidos a dos huesos y los ayudan
a moverse.

Cuando un músculo se tensa,
el hueso se mueve.

Luego se tensa otro músculo para
que el hueso vuelva a su sitio.

Hueso

Músculo

Esta imagen muestra los músculos de la mano y el brazo.

Tiran de los huesos para que puedas mover el codo, la muñeca y los dedos.

En la cara tenemos unos 60 músculos que nos permiten mostrar muchas expresiones.

La respiración

Tu cuerpo necesita un gas llamado oxígeno que
está en el aire. Al respirar a través de la nariz
o la boca, obtienes oxígeno.

El aire baja por
un tubo que se
llama tráquea.

El aire llena los dos
pulmones, que son
como esponjas.

Luego un músculo
sube y empuja el aire
hacia fuera otra vez.

8

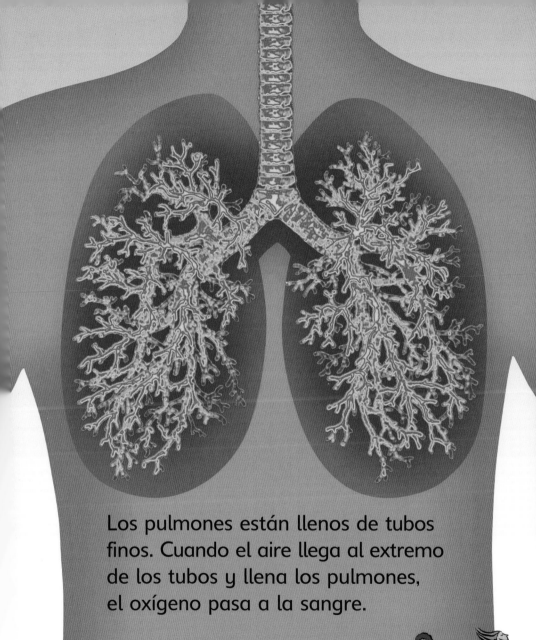

Los pulmones están llenos de tubos finos. Cuando el aire llega al extremo de los tubos y llena los pulmones, el oxígeno pasa a la sangre.

Cuando haces ejercicio, tu cuerpo necesita más oxígeno, por eso respiras más deprisa.

Una potente bomba

El corazón es un músculo muy fuerte
que bombea la sangre por el cuerpo.

La sangre entra
y sale del corazón
por unos tubos
que recorren
todo el cuerpo.

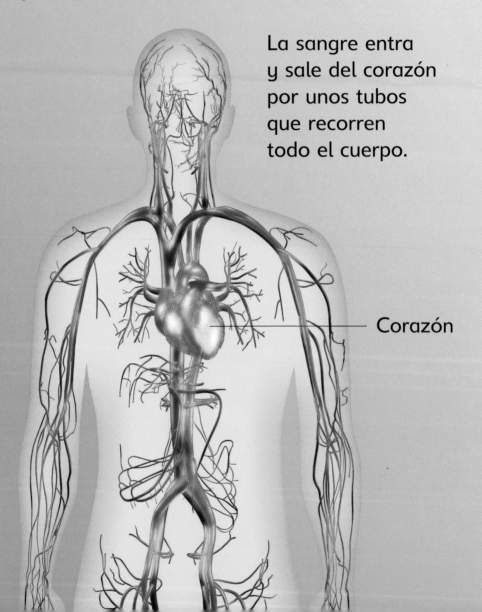

Corazón

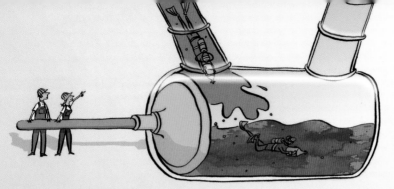

La sangre fluye al corazón con el oxígeno
que ha recogido de los pulmones.

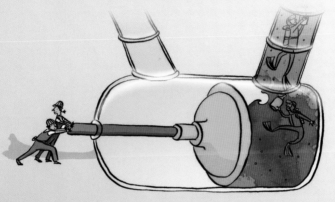

El corazón bombea la sangre para que recorra
todo el cuerpo.

La sangre lleva el oxígeno a todas las partes
del cuerpo. Luego vuelve al corazón.

La cabeza

El cerebro ocupa casi todo el interior de la cabeza.
Controla lo que pasa en el cuerpo y te permite
pensar y aprender.

La zona naranja y arrugada de esta ilustración
es el cerebro.

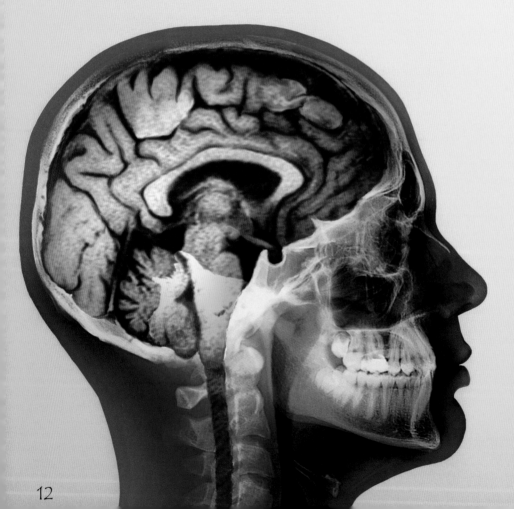

Estas son algunas
actividades que
controla el cerebro.

Oler

Tener hambre

Moverse

Oír

Aprender
y recordar

Ver

Cuando estás dormido,
el cerebro repasa los
pensamientos y así es
probablemente como
se crean los sueños.

Mensajeros

El cerebro está conectado con todas las partes del cuerpo mediante unos delgados hilos llamados nervios.

Los nervios llevan y traen mensajes del cerebro.

Esto es un nervio.

Tiene una especie de tentáculos muy finos que tocan otros nervios para pasar los mensajes.

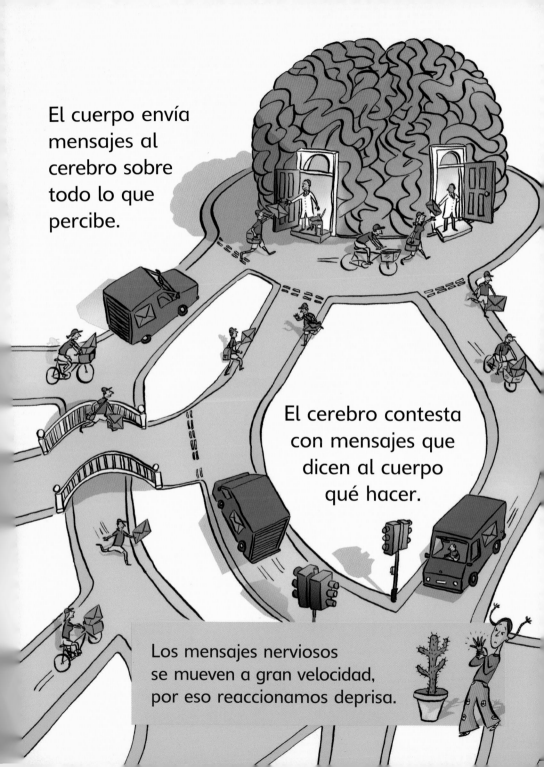

El cuerpo envía mensajes al cerebro sobre todo lo que percibe.

El cerebro contesta con mensajes que dicen al cuerpo qué hacer.

Los mensajes nerviosos se mueven a gran velocidad, por eso reaccionamos deprisa.

Los ojos y la vista

Los ojos recogen imágenes de lo que te rodea y luego los nervios envían esas imágenes al cerebro.

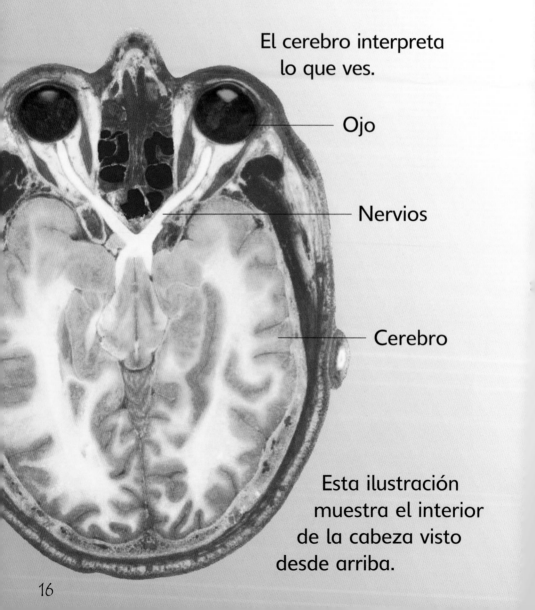

El cerebro interpreta lo que ves.

Ojo

Nervios

Cerebro

Esta ilustración muestra el interior de la cabeza visto desde arriba.

16

La luz entra
en el ojo por una
abertura llamada pupila.

Pupila

Una fina capa de agua mantiene limpios
los ojos para que puedas ver bien.

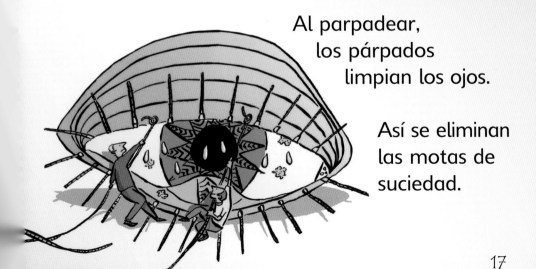

Al parpadear,
los párpados
limpian los ojos.

Así se eliminan
las motas de
suciedad.

El oído

Los oídos están en el interior de la cabeza. La parte externa es la oreja, por donde entra el sonido.

La oreja recoge el sonido del aire.

1. El sonido entra en el oído y llega hasta el tímpano, que es una membrana de piel.

2. El tímpano empieza a vibrar y agita tres huesos de un tamaño diminuto.

El sonido se mide en decibelios.
Un susurro tiene unos 30 decibelios. Un avión
al despegar hace un ruido de 140 decibelios.

3. La vibración mueve un líquido dentro del oído, y unos pelos que hay en él se agitan.

4. Los nervios que hay en esos pelos envían mensajes sobre el sonido al cerebro.

La boca

Al comer, los labios, los dientes y la lengua trabajan en equipo para triturar la comida.

Los dientes están recubiertos de una capa muy dura llamada esmalte.

Sus raíces se hunden profundamente en las encías.

Raíz

Diente

El esmalte es la materia más dura de todo el cuerpo.

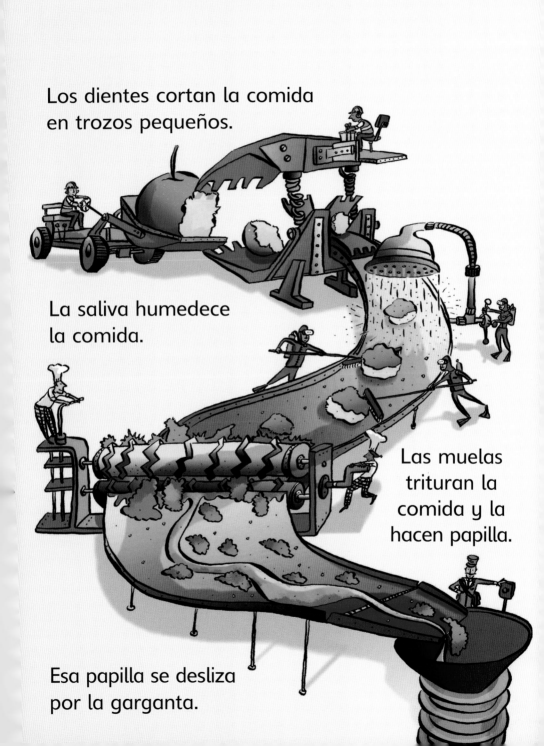

Los dientes cortan la comida
en trozos pequeños.

La saliva humedece
la comida.

Las muelas
trituran la
comida y la
hacen papilla.

Esa papilla se desliza
por la garganta.

La digestión

La comida que has tragado llega hasta el estómago.

En el estómago se mezcla hasta hacerse una pasta densa.

Luego va hasta el intestino delgado, que es un tubo largo.

Aquí se añaden unos jugos especiales que descomponen la comida aún más.

Las sustancias útiles van por todo el cuerpo para darle energía.

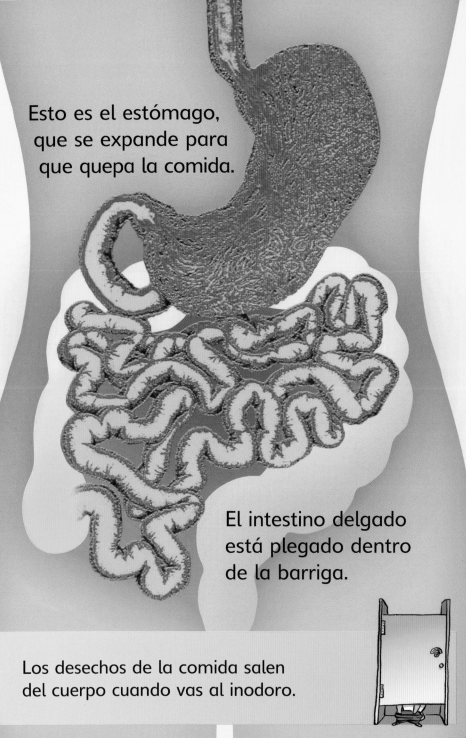

Esto es el estómago,
que se expande para
que quepa la comida.

El intestino delgado
está plegado dentro
de la barriga.

Los desechos de la comida salen
del cuerpo cuando vas al inodoro.

¡Agua va!

El cuerpo necesita expulsar el agua sobrante
que se acumula en la sangre. Este trabajo
lo hacen los riñones.

1. La sangre entra
en los riñones.

2. Los riñones expulsan
agua y sustancias
que son dañinas.

3. La sangre limpia
vuelve a fluir por
el cuerpo.

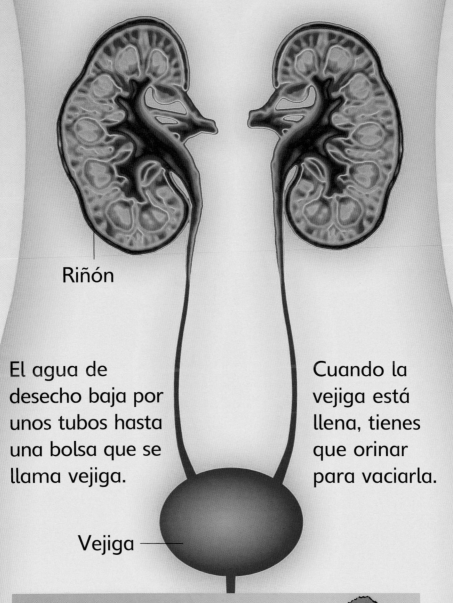

Riñón

El agua de desecho baja por unos tubos hasta una bolsa que se llama vejiga.

Cuando la vejiga está llena, tienes que orinar para vaciarla.

Vejiga

En solo cuatro minutos, toda la sangre del cuerpo pasa por los riñones para que la limpien.

La capa externa

La piel es una cubierta impermeable que envuelve todo el cuerpo. Está hecha de capas.

Las capas superiores se van gastando y otras nuevas van creciendo debajo.

La capa inferior es grasa y blanda.

El pelo crece de las raíces que están en la capa inferior.

Cada minuto caen del cuerpo 50.000 escamas de piel.

Cada pelo tiene una capa aceitosa que lo deja suave y brillante.

Si tienes calor, expulsas por la piel agua salada, que es el sudor.

Cuando el sudor se seca, refresca la piel.

¡Nos atacan!

Existen unos seres diminutos, llamados gérmenes,
que siempre intentan invadirnos.

Los gérmenes suelen entrar en el cuerpo
a través de cortes y arañazos.

Los glóbulos blancos son células de la sangre que
matan los gérmenes con sustancias químicas.

A veces tomamos medicinas con más sustancias
químicas para apoyar la lucha contra los gérmenes.

28

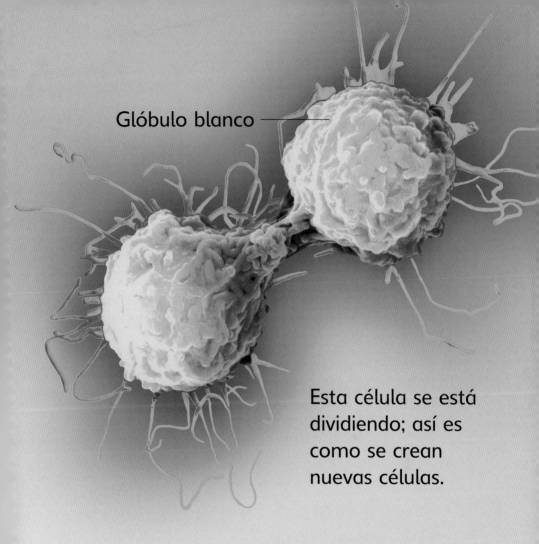

Glóbulo blanco ———————

Esta célula se está dividiendo; así es como se crean nuevas células.

Así es como verías los glóbulos blancos por un microscopio. Los tentáculos que salen de ellos les sirven para aferrarse a las cosas.

Cuando los glóbulos blancos no eliminan los gérmenes del cuerpo, caemos enfermos.

Glosario del cuerpo

A continuación te explicamos el significado
de algunas palabras que aparecen en el libro
y que puede que no conozcas.

 ligamento: una banda elástica que une
dos huesos.

 oxígeno: un gas invisible que hay en el aire.
Tu cuerpo necesita oxígeno para funcionar.

 saliva: un líquido de la boca que ablanda
la comida para que sea fácil tragarla.

 estómago: una bolsa fuerte y elástica
donde la comida se convierte en una pasta.

 nervio: un hilo muy fino que lleva los
mensajes entre el cuerpo y el cerebro.

 germen: un ser diminuto que puede meterse
en el cuerpo y hacernos enfermar.

 glóbulo blanco: una célula de la sangre
que combate los gérmenes.

Páginas web

Si tienes ordenador, puedes averiguar muchas más cosas sobre el cuerpo en Internet. En la página web Quicklinks de Usborne (en inglés) encontrarás enlaces a sitios muy interesantes.

Para visitar las páginas que se proponen, entra en **www.usborne-quicklinks.com** y selecciona este libro. Luego haz clic en el sitio web que quieras ver.

Usborne revisa los sitios web y actualiza los links con regularidad. Sin embargo, no se hace responsable de la información o disponibilidad de sitios ajenos a la editorial.

Recomendamos que se supervise a los niños mientras navegan por Internet.

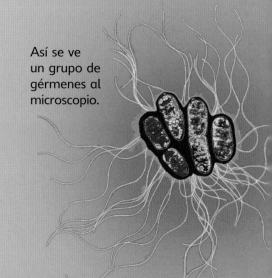

Así se ve un grupo de gérmenes al microscopio.

Índice

articulaciones, 5, 6

cerebro, 3, 12, 13, 14, 15, 16, 19

comer, 13, 20, 21, 22, 23

corazón, 10, 11

dientes, 20, 21

esmalte, 20

esqueleto, 4, 5

estómago, 22, 23, 30

gérmenes, 28, 29, 30

glóbulos blancos, 28, 29, 30

huesos, 3, 4, 5, 6, 7, 18

intestino delgado, 22, 23

ligamentos, 5, 30

movimiento, 5, 6, 7, 13

músculos, 3, 6, 7, 8, 10

nervios, 14, 15, 16, 19, 30

oído, 13, 18, 19

ojos, 16, 17

oler, 13

oxígeno, 8, 9, 11, 30

pelos, 19, 26, 27

piel, 26, 27

pulmones, 3, 8, 9, 11

respiración, 8, 9

riñones, 24, 25

saliva, 21, 30

sangre, 9, 10, 11, 24

sudor, 27

tímpano, 18

tráquea, 8

vejiga, 25

vista, 13, 16, 17

Agradecimientos

Manipulación fotográfica: John Russell

Fotografías

Usborne Publishing agradece a los organismos y personas que a continuación se citan la autorización concedida para reproducir el material gráfico utilizado. © Alamy 7 (ImageDJ); © Corbis 1 (Firefly Productions); © Getty Images 17 (Bob Elsdale); © SciencePhoto Library 2-3 (Simon Fraser), 4, 9, 10, 23, 25 (Alfred Pasieka), 12 (Sovereign, ISM), 14 (Dr. Torsten Wittmann), 16 (Mehau Kulyk), 20 (D. Roberts), 29 (Stem Jems), 31 (Dra. Linda Standard, UCT).